LES DRUIDES

Tome 1 - Le Mystère des Oghams

Scénario
Jean-Luc ISTIN & Thierry JIGOUREL

Dessin & couleurs
Jacques LAMONTAGNE

Les auteurs tiennent à remercier les spécialistes qui leur ont accordé généreusement leur aide au cours de la réalisation
du premier tome des Druides, et tout particulièrement le professeur Christian-J Guyonvarc'h, co-auteur, avec son épouse,
la regrettée Françoise Le Roux, de plusieurs ouvrages sur la civilisation celtique publiés chez Ouest-France Université, Alan Raude,
Serj Pineau, Julian Stone, pour sa grande connaissance du patrimoine maritime et monastique celtique, et Erwan Seure-Le Bihan.

Introduction

Le premier tome des Druides, *Le Mystère des Oghams*, se situe à la charnière de la période antique et du Moyen Âge, à une époque où, dans le fracas d'un empire qui s'effondre, émergent de multiples royaumes celtiques.

Nous sommes à la fin du Ve siècle, une époque riche et diverse. Diverse en civilisations, riche de conflits et d'oppositions. Une période où s'opposent le nouveau et « l'ancien monde », celui des druides dont, Gwenc'hlan, qui vivait quelque part en Domnonée sur le territoire du nord de la Bretagne actuelle, aurait été l'un des derniers représentants, selon Théodore Hersart de la Villemarqué (1). Un rebelle et un résistant de l'ordre des « très savants » pour qui le sacré et la connaissance résidaient essentiellement dans la forêt.

Les propos tenus par Kervarquer dans un livre qui est aux Bretons ce que le Kalevala est aux Finlandais, se trouvent d'ailleurs corroborés par les travaux récents d'universitaires tels que Gérard Coulon qui, dans une revue aussi prestigieuse que L'Archéologue, attribue au druidisme armoricain une sorte de revival durant les derniers siècles de l'empire romain.

C'est dans les brumes du monde celtique, tout au bout des promontoires rocheux de l'Europe, que se déroule le premier tome de cette « saga » alto-médiévale, pour reprendre une terminologie à la mode. Dans un monde en proie aux frissons, aux doutes, à la peur, aux rivalités, aux conflits d'intérêt et d'idéologie, mais où l'espoir, l'amitié et l'amour sont souvent portés au paroxysme.

Un univers marqué par les luttes d'influence tant pour le pouvoir temporel que spirituel.

Car tandis que les derniers druides livrent leur chant du cygne avant de se retirer au plus profond des forêts armoricaines, en Irlande et dans une Bretagne qui à l'époque s'étend géographiquement, politiquement et culturellement du sud des Highlands jusqu'à l'estuaire de la Loire, les moines que l'on peut déjà qualifier de « celtiques », commencent à affirmer au sein de l'Église chrétienne une autonomie de pensée, de règles, sinon de doctrine qui ne tarde pas à irriter une Rome où les autorités de l'Église succèdent à celles de l'Empire.

Passionnante aventure que celle qui a consisté, avec l'aide de nombreux spécialistes tant du monde celtique que du Moyen Âge, à poser le cadre et le mode de vie de nos héros : vêtements, architecture, navigation, pensée, etc.

Pour autant, Les Druides ne se prétend pas une « bande dessinée historique ». Si, dans la plupart des cas, nous avons tenu à respecter la réalité et la probabilité, il nous est arrivé de sacrifier le vraisemblable aux impératifs artistiques ou narratifs lorsque le rythme du récit nous paraissait l'exiger. De la même manière, si nos personnages sont inspirés de figures dont certaines sont attestées historiquement, pour la construction du récit et dans l'intérêt de la narration nous avons pris quelques libertés chronologiques par rapport aux récits hagiographiques, en particulier.

Enfin, bien que Gwenc'hlan et son élève Taran fassent l'objet de notre sympathie et de toute notre bienveillance, nous n'avons en aucune manière voulu prendre parti dans leurs aventures, ni dans la querelle qui oppose les serviteurs de l'ancienne religion et les prosélytes de la nouvelle. Ni apologie, ni dénigrement et encore moins discours militant, *Le Mystère des Oghams*, à mi-chemin entre le récit d'aventure et le thriller médiéval, n'a au fond d'autre objectif que de vous divertir.

Les auteurs

1) *Théodore Hersart de la Villemarqué (patronyme breton Kervarquer) : auteur du Barzaz Breiz*

Tous les mots de l'album suivis d'une astérisque sont expliqués dans le glossaire en fin de l'ouvrage.

Une collection dirigée par Jean-Luc Istin

© MC PRODUCTIONS / ISTIN / JIGOUREL / LAMONTAGNE
Soleil Productions
15, Bd de Strasbourg - 83000 Toulon - France

Bureaux parisiens
25, rue Titon - 75011 Paris - France

Conception et réalisation graphique : Studio Soleil
Dépôt légal : Octobre 2005 - ISBN : 2 - 84946 - 297 - 7

Première édition

Impression : Hémisud - 83 - France

4

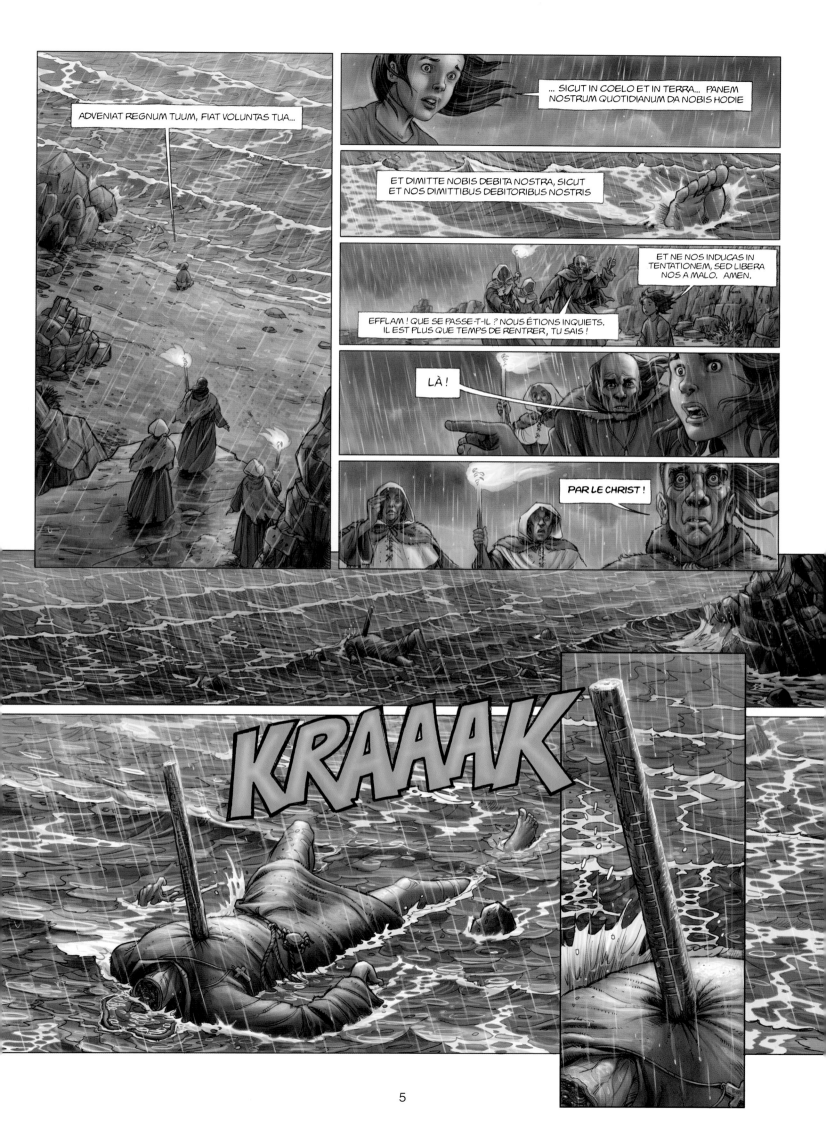

FRÈRE BUDOG, ES-TU SÛR D'AVOIR PRIS LA BONNE DÉCISION ?

À VRAI DIRE, JE N'AI PAS LE CHOIX, FRÈRE MAWDEZ. NOUS VIVONS UNE DRÔLE D'ÉPOQUE, FAITE DE FAUX SEMBLANTS ET DE JEUX EN EAUX TROUBLES.

CE GWÉNOLÉ NE ME DIT RIEN QUI VAILLE. IL EST FOURBE COMME LE SAXON ET AUSSI FANATIQUE QUE GERMAIN L'AUXERROIS.

J'EN SUIS CONSCIENT, FRÈRE MAWDEZ. JE ME MÉFIE MOI AUSSI DE GWÉNOLÉ DEPUIS QU'IL FUT MON ÉLÈVE. MAIS NOUS SOMMES BIEN AFFAIBLIS. LES THÈSES DE PÉLAGE* SUR LE LIBRE ARBITRE DES HOMMES ONT ÉTÉ QUALIFIÉES D'HÉRÉTIQUES PAR ROME.

ET JE SENS QUE NOUS AUSSI, BRETONS D'ARMORIQUE, SOMMES EN SURSIS. GWÉNOLÉ EST PUISSANT. SON ABBAYE DE LANDEWENEG EST DÉSORMAIS LE NOUVEAU PHARE SPIRITUEL DE LA LÉTAVIA*...

CET ARROGANT SEMBLE CONVAINCU DE DÉTENIR SEUL LES LUMIÈRES DE DIEU ! ET SA CERTITUDE QUANT À LA CORRUPTION DU PÉCHÉ ORIGINEL PROUVE BIEN QUE GWÉNOLÉ NE SERT PAS NOTRE CAUSE. TU LE SAIS BIEN...

SANS DOUTE FRÈRE, SANS DOUTE. MAIS JE NE PUIS Y ÉCHAPPER.

LES LIENS ANCIENS QUI M'UNISSENT À LUI M'EXHORTENT À L'INFORMER SUR CES MEURTRES ÉTRANGES.

CROIS-MOI, MAWDEZ, NOUS SOMMES CONTRAINTS DE NOUS EN REMETTRE À LUI.

QUE DIEU VOUS GARDE, MES FRÈRES, VOUS SEMBLEZ BIEN ÉPUISÉS APRÈS CE LONG VOYAGE.

QUE DIEU TE PROTÈGE, MON FRÈRE ! UN REPAS FRUGAL ET UN LIT CHAUD NE SERONT PAS DE REFUS...

ET COMMENT VA LE MONDE À L'AUTRE BOUT DE NOTRE DOMNONÉE* ?

PAR LA GRÂCE DU SEIGNEUR, IL VA DANS UN SENS QUI LUI FAIT HONNEUR.

IL RESTE QUE...

OUI, JE PEUX BIEN VOUS CONFIER MES CRAINTES QUANT AUX VOLONTÉS DE LA FILLE DU ROI GRADLON DE CORNOUAILLE.

DAHUD....

OUI, DAHUD, QUI A COMMANDÉ LA CONSTRUCTION D'UNE VASTE CITÉ DANS LA BAIE DE DOUARNENEZ. UNE CITÉ VOUÉE AU PÉCHÉ ! DAHUD, SI SÉDUCTRICE QU'ELLE TRAVAILLE LES SENS DES PLUS VERTUEUX D'ENTRE NOUS. ELLE A LA BEAUTÉ DU DIABLE QUI CORROMPRAIT MÊME UN SAINT HOMME !

D'AILLEURS, CERTAINS DE TES MOINES, BUDOG...

MAIS J'IMAGINE QUE VOUS N'AVEZ PAS PARCOURU TOUT CE CHEMIN POUR ME DEMANDER... COMMENT VA LE MONDE ?

DITES-MOI, MON CHER MAÎTRE, OUI, DITES-MOI CE QUI VOUS AMÈNE SI LOIN DE CHEZ VOUS ?

SI LOIN DE VOTRE SI BELLE ÎLE ...

RÉVÉLEZ-MOI CE QUI VAUT QUE VOUS VOUS DÉPLACIEZ EN PERSONNE ?

JE SUIS TOUT OUÏE, VÉNÉRABLE BUDOG.

ET VOUS AVEZ PENSÉ À MOI.

QUI D'AUTRE, FRÈRE GWÉNOLÉ ? QUI D'AUTRE QUE LE MEILLEUR DE MES ÉLÈVES AURAIT PU M'ÉCOUTER PARLER ET ME CONSEILLER AU SUJET DE DEUX MOINES, FRÈRE TUTGWAL ET FRÈRE BRIOG RETROUVÉS MORTS DANS DES CONDITIONS POUR LE MOINS SUSPECTES.

DE TRAGIQUES ÉVÉNEMENTS SURVENUS RÉCEMMENT BOULEVERSENT LA QUIÉTUDE DE NOTRE TRÈS SAINT MONASTÈRE. IL ME FAUT CONFESSER MA PREMIÈRE PENSÉE QUI FUT DE FAIRE TAIRE CETTE AFFAIRE. MAIS LE DÉMON A PÉNÉTRÉ NOS PIERRES ET IL EST RAISONNABLE DE PENSER QU'UNE AIDE EXTÉRIEURE NOUS SERAIT BÉNÉFIQUE.

COMMENT ? JE VEUX DIRE, DÉTAILLEZ-MOI L'ÉTAT DES CORPS LORSQUE VOUS LES AVEZ DÉCOUVERTS.

TOUS DEUX SONT MORTS DE FAÇON ANALOGUE. DÉCAPITÉS ET EMPALÉS SUR UN PIEU.

GRAND DIEU !

OUI ?

SUR LEUR PEAU, NOUS AVONS RELEVÉ DES SIGNES...

MAIS CE N'EST PAS TOUT...

QUEL GENRE DE SIGNES, BUDOG?

DE CEUX QUI APPARTIENNENT À...

L'ANCIENNE RELIGION...

HUM...

DES OGHAMS ? EN ÊTES-VOUS CERTAIN ?

ASSURÉMENT.

BIEN. PUISQUE NOUS EN SOMMES AUX RÉVÉLATIONS, MON BON MAÎTRE, SACHEZ QUE CES CRIMES NE SONT PAS LES PREMIERS.

AU MONASTÈRE D'UXISAMA, CHEZ NOTRE FRÈRE POL AURÉLIEN, UN DE NOS FRÈRE A ÉTÉ RETROUVÉ ASSASSINÉ DANS LES MÊMES CIRCONSTANCES.

C'EST ÉPOUVANTABLE !

LES CONCLUSIONS DE L'ENQUÊTE SONT SANS APPEL : IL S'AGIT D'UN CRIME DES DERNIERS DRUIDES VISANT, DANS UN ULTIME SURSAUT, À DÉSTABILISER NOTRE ÉGLISE.

DES DRUIDES ? LES DRUIDES N'OSERAIENT PAS...

ET POURQUOI PAS ?

LES RESTES DE LEUR ORDRE SERAIENT EN GRAND DANGER. JE NE PENSE PAS QU'ILS SOUHAITENT ATTIRER SUR EUX LES FOUDRES DE ROME !

VOUS SEMBLEZ SINCÈREMENT DOUTER QUE CE SOIENT NOS COUPABLES... QUE FAITES-VOUS DES PREUVES ?

LES OGHAMS SONT EFFECTIVEMENT LEUR ÉCRITURE SACRÉE MAIS N'IMPORTE QUI POURRAIT LES IMITER...

C'EST EXACT. J'AVOUE Y AVOIR SONGÉ.

ET C'EST POUR CELA QUE J'AI ÉGALEMENT PENSÉ À CONTACTER UN DRUIDE AFIN QU'IL MÈNE UNE CONTRE-ENQUÊTE.

VOUS, FRÈRE GWÉNOLÉ, VOUS TOLÉRERIEZ UNE TELLE CHOSE ?

PLUS QUE CELA, JE LA COMMANDITE. IL FAUDRAIT TROUVER LE DRUIDE DE LA SITUATION, SI JE PUIS DIRE. VOUS-MÊME, QUI ENTRETENEZ DES RELATIONS PRESQUE... OFFICIELLES AVEC CES HOMMES DES BOIS... N'AVEZ-VOUS PAS UNE PETITE IDÉE ?

J'AI GARDÉ EN EFFET UNE RELATION PARMI EUX. UN VIEIL AMI DU TEMPS DE MA JEUNESSE PÉLAGIENNE...

ET QUEL EST LE NOM DE CE...

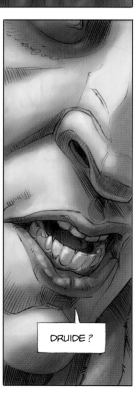

DRUIDE ?

GWENC'HLAN.

MON MAÎTRE, CELUI VERS QUI SE TOURNENT TOUTES MES PENSÉES MAINTENANT, À L'HEURE OÙ IL ME TARDE DE LE REJOINDRE DANS L'AUTRE MONDE, LÀ-BAS, PAR-DELÀ LES BRUMES...

NOUS, DRUIDES, PENSIONS À RAISON QUE L'ÉCRITURE NE DEVAIT PAS FIGER NOS SCIENCES, QUE NOUS DEVIONS LES TRANSMETTRE PAR LA PAROLE ET NON PAR L'ENCRE.

MAIS VINT LE CRÉPUSCULE DES DRUIDES, ET MAINTENANT QUE NOMBRE D'ENTRE NOUS SE SONT CONVERTIS À LA RELIGION DU DIEU UNIQUE ET QUE LES AUTRES ONT DISPARU, IL NOUS FAUT CONSIGNER PAR ÉCRIT CE QUI SERA PERDU FAUTE DE BOUCHE POUR INITIER...

IL APPARAÎT DONC FORT LOUABLE QUE CEUX QUI RESTENT ET DONT JE FAIS PARTIE TRANSCRIVENT NOTRE MÉMOIRE SUR CE PAPIER, SI ÉPHÉMÈRE, MAIS QUI DEMEURE EN CE JOUR NOTRE SEULE POSSIBILITÉ DE PERDURER AUX TRAVERS DES ÉPOQUES À VENIR....

GWENC'HLAN ...

MON MAÎTRE...

MES SOUVENIRS ÉTREIGNENT MON CŒUR, SE CHANGENT EN LARMES ET MES LARMES SE MÊLENT À L'ENCRE...

SEDOS IN NEMON, NEMOS ARE DUMNON...(1)

...DUMNOS VO NEMON NERTOS SI PAPON.(2)

TARAN...

BIEN, MAÎTRE.

NOUS PRIONS SUCELLOS ET NANTOSUELTA, GARDIENS DES DEMEURES DES HOMMES, AFIN QU'ILS ÉCARTENT DE LEURS MAILLETS LES PUISSANCES TÉNÉBREUSES QUI ASSAILLENT EN CES TEMPS DE SAMONIOS LES ENFANTS DE NOS CLANS...

(1) Paix dans le ciel, ciel sur la terre. (2) Terre sous le ciel, force à chacun.

12

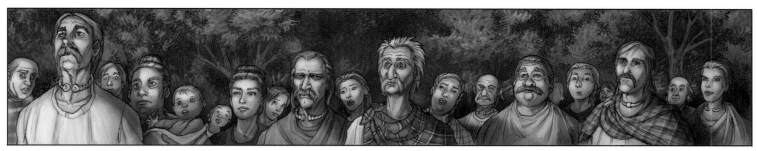

MANNOVIONOS, FILS DE LIROS, MAÎTRE DES ONDES, NOUS T'INVOQUONS...

TARANIS, MAÎTRE DE L'AIR DES NUÉES ET DES ORAGES, NOUS T'INVOQUONS.

Ô ANA, MAÎTRESSE DE LA TERRE-MÈRE NOURRICIÈRE D'OÙ NAÎT ET FINIT TOUTE VIE, NOUS T'INVOQUONS.

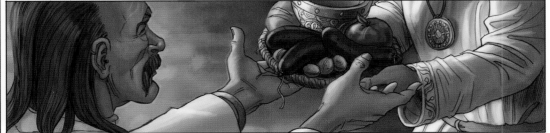

À VOUS, FRÈRES ET SŒURS QUI AVEZ ŒUVRÉ POUR QUE SOIENT PRÉSERVÉES NOS TRADITIONS ET QUI AVEZ REJOINT LES DIEUX ET LES VIVANTS EN ABALLONIA*, NOUS REMETTONS CES QUELQUES METS...

... AFIN QU'AVEC NOUS VOUS PUISSIEZ CÉLÉBRER L'ANNÉE NOUVELLE...

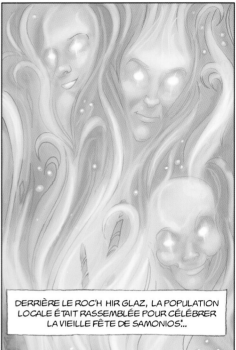

DERRIÈRE LE ROC'H HIR GLAZ, LA POPULATION LOCALE ÉTAIT RASSEMBLÉE POUR CÉLÉBRER LA VIEILLE FÊTE DE SAMONIOS*...

QUI, AUX TEMPS ANCIENS, RÉUNISSAIT TOUS LES MEMBRES DU CLAN, LES VIVANTS ET LES MORTS...

SAMONIOS, LA PLUS GRANDE FÊTE DE L'ANNÉE, CELLE OÙ S'ABOLISSAIENT TOUTES LES FRONTIÈRES...

UNE NUIT DE TOUS LES DANGERS, DE TOUS LES POSSIBLES. CELLE QUE CHOISISSAIENT LES MESSAGÈRES DE L'AUTRE MONDE...

VIENS À MOI !

L'ESPOIR, GWENC'HLAN, TU INCARNES L'ESPOIR POUR NOS CLANS ET POUR LES HOMMES DU CHÊNE ET DU COUDRIER ! ROME NOUS A VOLÉ NOS TERRES, LES CHRÉTIENS NOUS REPOUSSENT CHAQUE JOUR PLUS PROFONDÉMENT DANS LE CŒUR DES FORÊTS !

ET MON AVENIR...

JE RESSENS UN GRAND TROUBLE ! AU FOND DE CERTAINS MONASTÈRES IMPLANTÉS PAR LES MOINES VENUS DE BRETAGNE SE TRAMENT DE NOIRS DESSEINS !

DIS-M'EN PLUS !

DES MORTS, DU SANG ! TOUT CE SANG ! TU DEVRAS TROUVER TON CHEMIN DANS LES TÉNÈBRES ! TROUVER LA VOIE ET PROTÉGER LES NÔTRES ET LEURS ATTRIBUTS !

DE QUI ? DE QUI DOIS-JE DÉFENDRE MES FRÈRES ?

MA VUE S'ASSOMBRIT... EN DES TEMPS PLUS ANCIENS, MES POUVOIRS ÉTAIENT BIEN PLUS PROMPTS ET PRÉCIS. AUJOURD'HUI QUE NOTRE MONDE GLISSE DANS L'OUBLI, LES VOIES DE L'AVENIR ME SONT MOINS ACCESSIBLES.

PRENDS GARDE À TOI, GWENC'HLAN,

PRENDS LES BOIS ET CETTE POMME, « TRÈS SAVANT ».

LES OGHAMS TAILLÉS DANS L'ARBRE DU DAGODEVOS T'AIDERONT À PRENDRE LES DÉCISIONS LORSQUE TON ESPRIT S'OBSCURCIRA. LA POMME TE MÈNERA SÛREMENT À MOI, MAIS NE L'UTILISE QU'EN CAS DE GRAND BESOIN ET D'EXTRÊME NÉCESSITÉ, CAR...

CAR ?

17

JE N'Y ARRIVERAI JAMAIS, ANTRAVONES * !

MAÎTRE, MAIS POURQUOI LUTTER AVEC CES ARMES ? N'APPARTIENNENT-ELLES PAS À UN TEMPS RÉVOLU ?

TARAN, L'ÉPÉE FUT DE TOUT TEMPS LE COMPAGNON OBLIGÉ DE NOTRE PEUPLE. FORGÉE AU NORD DU MONDE PAR LE DIEU GOIBNIU.

ET CONFIÉE AU DRUIDE UISCIAS QUI L'OFFRIT AUX HOMMES DE NOS CLANS. LA MOITIÉ DE L'UNION, TARAN, UN SYMBOLE DE SOUVERAINETÉ ET DE FORCE COSMIQUE. ELLE EST LA PUISSANCE DE L'ESPRIT FÉCONDANT ET LE SYMBOLE DE LA LUMIÈRE SPIRITUELLE.

UN CADEAU, TARAN. UN CADEAU DE L'AUTRE MONDE. ELLE VIENT D'ABALONIA ET RETOURNE EN ABALONIA, UNE FOIS LES TEMPS ET LE DESTIN ACCCOMPLIS. D'ICI LÀ, IL FAUT LUTTER !

MAIS LA MAGIE ET LES INCANTATIONS SEULES NE PEUVENT VAINCRE NOS ADVERSAIRES. ELLES FURENT DE PEU DE SECOURS POUR NOS PÈRES DE L'ÎLE DE MONA, COMME POUR NOS FRÈRES D'HIBERNIE, FACE AUX RUSES DE PATRICIUS...

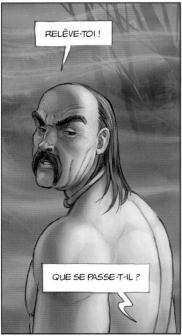

RELÈVE-TOI !

QUE SE PASSE-T-IL ?

QUELQU'UN APPROCHE !

18

19

QUEL ÉTRANGE MAÎTRE J'AVAIS LÀ. JE LE CONSIDÉRAIS COMME LE DERNIER DÉFENSEUR DE NOTRE ORDRE ET JE LUI DÉCOUVRAIS UNE AMITIÉ AVEC L'UN DE CEUX QUE J'IMAGINAIS COMME NOS PIRES ENNEMIS !

UNE AMITIÉ, SEMBLAIT-IL, INDÉFECTIBLE.

DURANT LE VOYAGE NOUS MENANT À L'ARCHIPEL DE BRIGATE, GWENC'HLAN M'EXPLIQUA CE QUI LES AVAIT RAPPROCHÉS. UN PROFOND RESPECT ET UNE DOCTRINE : CELLE DU MOINE BRETON PÉLAGE QUI PROFESSAIT QUE L'HOMME N'EST PAS DÉFINITIVEMENT CORROMPU PAR LE PÉCHÉ ORIGINEL ET QUI LUI ATTRIBUAIT UN LIBRE ARBITRE SUR SA DESTINÉE.

ET, ÉCOUTANT MON MAÎTRE PARLER DE SON AMI, JE ME SURPRIS À ESPÉRER. SANS DOUTE À CAUSE DE MA MAIGRE EXPÉRIENCE ET DE MON JEUNE ÂGE. AU FOND DE MOI, JE PENSAI ALORS QUE SI BUDOG ET GWENC'HLAN AVAIENT PU S'ACCEPTER MUTUELLEMENT, PEUT-ÊTRE, OUI, PEUT-ÊTRE, LES DEUX RELIGIONS POURRAIENT-ELLES AUSSI COEXISTER.

LES ÉVÉNEMENTS QUI SUIVIRENT PLONGÈRENT À TOUT JAMAIS CETTE PENSÉE DANS LE NÉANT...

DIEU VOUS PROTÈGE, FRÈRES ET SŒURS !

DIEU VOUS PROTÈGE, MES FRÈRES !

TE VOILÀ ENFIN MON AMI...

BUDOG...

OUI, GWENC'HLAN. JE SAIS QUE LE POIDS DES ANNÉES PÈSE DÉSORMAIS SUR MES ÉPAULES. MAIS TOI...

OUI, TU ES TOUJOURS SEMBLABLE À MON SOUVENIR ! ET D'AILLEURS COMMENT UNE LÉGENDE INCARNÉE POURRAIT-ELLE VIEILLIR, HEIN ?

UNE LÉGENDE INCARNÉE, C'EST DONC AINSI QUE TU ME VOIS ?

OH ! C'EST AINSI QUE LA PLUPART DES GENS TE VOIENT !

MES FILS, PRENEZ POSSESSION DE CETTE MODESTE CELLULE QUE NOUS RÉSERVONS À NOS VISITEURS DE MARQUE ET NE TARDEZ PAS À ME REJOINDRE DANS NOTRE RÉFECTOIRE POUR Y PARTAGER NOTRE DÎNER...

MAÎTRE ?

OUI TARAN ?

JE N'AIME PAS CET ENDROIT. JE N'Y SUIS PAS À MON AISE.

ÊTES-VOUS CERTAIN QUE L'ON PEUT SE FIER À VOTRE AMI ?

TARAN, SACHE QUE BUDOG VIVANT, IL N'Y AURA PAS VRAIMENT DE DANGER POUR NOUS EN DOMNONÉE OCCIDENTALE ET SURTOUT DANS TOUT LE PAGUS GOELOU...

BÉNIS CE REPAS...

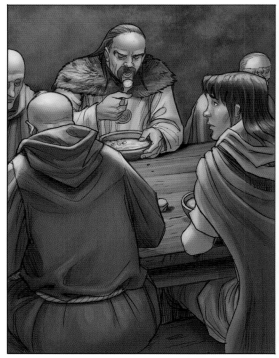

FRÈRE BUDOG ?

IL EST PLUS QUE TARD MON AMI. ET JE VOIS À TES PAUPIÈRES QU'IL EST GRAND TEMPS DE DORMIR.

MA CURIOSITÉ EST INSATIABLE...

N'INSISTE PAS, MON AMI...

... AU MOMENT CHOISI PAR DIEU, JE TE RÉVÉLERAI TOUT.

MAÎTRE ? VOUS DORMEZ ?

JE NE PENSE PAS QUE JE DORMIRAI CE SOIR, MON JEUNE MARCASSIN.

JE ME POSE DES QUESTIONS.

PARLE, JE T'ÉCOUTE.

23

JE VOUS AI VU TRAVERSER LE FEU, C'ÉTAIT À PEINE CROYABLE. MAIS... QUE S'EST-IL PASSÉ ? OÙ ÉTIEZ-VOUS DONC?

UNE MAIN A JAILLI DU FEU...

C'EST MORRIGANE QUE TU AS APERÇUE.

MORRIGANE ? COMMENT ÉTAIT-ELLE ?

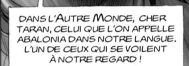

DANS L'AUTRE MONDE, CHER TARAN, CELUI QUE L'ON APPELLE ABALONIA DANS NOTRE LANGUE. L'UN DE CEUX QUI SE VOILENT À NOTRE REGARD !

JE COMMENCE À COMPRENDRE CE QUI T'INTRIGUE, JEUNE GARNEMENT.

SA PEAU ÉTAIT BLANCHE COMME CELLE D'UN CYGNE ! OUI, IL EST VRAI, MAINTENANT QUE J'Y PENSE, ELLE ÉTAIT BELLE COMME UNE DÉESSE !

C'EST AINSI QUE JE L'IMAGINAIS.

MAIS DIS-MOI, TU AS TENTÉ DE M'EMPÊCHER DE PASSER, POURQUOI ?

J'AI ... J'AI PENSÉ QU'ELLE VOUS EMPORTERAIT À JAMAIS.

IL EST VRAI QUE LES FEMMES DE L'AUTRE MONDE VIENNENT PARFOIS POUR CHERCHER LES MOURANTS MAIS JE SUIS EN PLEINE FORME, N'AIE AUCUNE CRAINTE.

GWENC'HLAN ?

?

?

IL EST BIEN TARD POUR SE PROMENER DE LA SORTE, MON FRÈRE.

MAWDEZ, JE SUIS FRÈRE MAWDEZ. FRÈRE BUDOG M'ENVOIE VOUS CHERCHER.

BIEN, NE PERDONS PAS UN INSTANT !

PENDANT LE CHEMIN QUI NOUS MENAIT À FRÈRE BUDOG, JE DUS RÉPRIMER DE FORTES ENVIES DE FUIR. SEULE LA PRÉSENCE DE GWENC'HLAN M'AIDAIT À GARDER MON SANG-FROID.

JE N'AVAIS AUCUNE CONFIANCE EN CE MOINE, NI EN AUCUN AUTRE D'AILLEURS. J'EUS MAINTES FOIS L'IMPRESSION QU'IL NOUS MENAIT À UNE MORT CERTAINE, QUE DES GENS ALLAIENT JAILLIR DES BOSQUETS POUR NOUS TRANCHER LA GORGE. MAIS JE DOIS L'AVOUER...

... JE ME TROMPAIS.

MON AMI, BIENVENUE EN CETTE RÉUNION QUE J'AI DÉSIRÉE DES PLUS SECRÈTES.

JE RESSENS QUELQUE CHOSE DE GRAVE DANS TA VOIX. PARLE, NOUS T'ÉCOUTONS.

TUTGWAL, UN DE NOS FRÈRES LES PLUS COURAGEUX, LES PLUS STUDIEUX, A ÉTÉ ASSASSINÉ, VOICI UNE SEMAINE. NOUS AVONS RETROUVÉ SUR LA GRÈVE SON CORPS ATROCEMENT MUTILÉ.

TROIS MEURTRES, GWENC'HLAN. NOUS DÉPLORONS TROIS MEURTRES. DEUX ICI MÊME ET UN DANS L'ÉTABLISSEMENT DE POL AURÉLIEN À UXISAMA...

LES VICTIMES SONT TROIS MOINES, DE BONS CHRÉTIENS COUPABLES DE RIEN, SINON D'UN EXCÈS D'AMOUR POUR LEUR DIEU ET LEURS LIVRES.

LE MÊME SORT A FRAPPÉ UN AUTRE DE NOS FRÈRES AU MONASTÈRE DE MAWDEZ, À DEUX PAS D'ICI.

CES TROIS MEURTRES ONT UN RITUEL COMMUN. À CHAQUE FOIS, LA TÊTE DU DÉFUNT A DISPARU. À CE JOUR, NOUS NE LES AVONS PAS ENCORE RETROUVÉES.

MAIS IL Y A PLUS TROUBLANT...

J'AI CONSERVÉ CECI, QUI TRANSPERÇAIT LA POITRINE DE FRÈRE TUTGWAL DE PART EN PART !

SUR CELUI-CI TU PEUX APERCEVOIR DES SIGNES.

DES OGHAMS...

EN ES-TU CERTAIN ?

OUI, ET JE COMMENCE À COMPRENDRE LES RAISONS DE MA PRÉSENCE ICI.

TU PENSES QUE DES DRUIDES ONT TUÉ CES MOINES.

C'EST CE QUE LA PLUPART PENSENT.

MAIS POURQUOI SIGNER CES MEURTRES ET SUBIR VOS ACCUSATIONS ?

DE LA PROVOCATION ! LA REVENDICATION D'UN TERRITOIRE ! NOUS VOUS LE DEMANDONS : PENSEZ-VOUS POSSIBLE QUE CE SOIT VOS FRÈRES ?

LA FOI EN MES FRÈRES M'INCITE À LE NIER ! MAIS LA RAISON ME POUSSERAIT À VÉRIFIER L'ENSEMBLE DES FAITS AVANT DE ME PRONONCER.

JE SAVAIS QUE NOUS POUVIONS COMPTER SUR TOI, GWENC'HLAN !

NOUS AVONS BESOIN DE TOI.

TU VEUX QUE JE TROUVE LE COUPABLE ?

C'EST LE SOUHAIT DE GWÉNOLÉ.

27

GWÉNOLÉ ?

ABSOLUMENT !

DIS-M'EN PLUS, RÉVÈLE-MOI TOUT !

SUR LE DOS DES VICTIMES, UN DESSIN A ÉTÉ GRAVÉ DANS LEUR CHAIR.

QUE REPRÉSENTE CE DESSIN ?

J'AI COMMIS L'INNOMMABLE POUR TE LE MONTRER, GWEN.

QUE VEUX-TU DIRE ?

DIEU ME PARDONNE...

CAR CE DESSIN, LE VOICI.

TU L'AS... ?

HA, HA ! ALORS, GARNEMENT DES BOIS, LA TERRE T'ATTIRE TELLEMENT QUE TU VEUILLES L'EMBRASSER ?

OH, OH, REGARDEZ DONC MES FRÈRES, LE DRUIDILLON SE VAUTRE DANS LA FANGE, COMME UN SANGLIER !

C'EST VRAI, MOINE, QUE J'AI LA TÊTE MOINS PRÈS DU CIEL QUE TOI.

TU EXAGÈRES, FRÈRE ILTUD, TOUJOURS À CHERCHER QUERELLE...

JE N'Y SUIS POUR RIEN, FRÈRE TRÉMEUR. LE DRUIDE EST MALADROIT, VOILÀ TOUT !

MAIS MAINTENANT IL VA ME PRÉSENTER SES EXCUSES POUR AVOIR SOUILLÉ MON BEAU BÂTON !

AINSI, TU VEUX QUE JE TE CARESSE LES CÔTES, C'EST BIEN ÇA, MORVEUX !

APPROCHE, BRETON !

31

ZOOOOOOO

JE VAIS TE CASSER LE CRÂNE, ENFANT DE SORCIÈRE ARMORICAINE !

PAR LE DIEU DU CIEL !

CRACK

QUELQUE CHOSE NE VA PAS, FRÈRE ILTUD ?

PETIT RÉSIDU D'ENTRAILLES PAÏENNES ! JE VAIS TOUT SIMPLEMENT TE BRISER LES OS !!

HAAAAAARG!

HAAAAAAAA!

TOK

CHLACH

AÏE !

À MOI MES FRÈRES, CE DÉMON EST CELUI QUI TUE NOS FRÈRES, SOYEZ-EN SÛRS !

ÇA SUFFIT, FRÈRE ILTUD !

FRÈRE BUDOG A CONFIANCE EN CES DRUIDES !

TU N'AS EU QUE CE QUE TU MÉRITAIS !

FRÈRE ILTUD...

DOIS-JE VRAIMENT MENTIONNER QUE CE MOINE N'ÉTAIT QU'UN SOMBRE IDIOT ? MAIS LA BÊTISE D'UN MOINE N'INQUIÉTAIT PAS MON MAÎTRE.

FORT DE SA MISSION, IL RETOURNA SUR LES LIEUX OÙ L'ON AVAIT RETROUVÉ LE CORPS DE FRÈRE TUTGWAL.

CROÂÂÂÂ !
CROÂÂÂ !

TIENS, TIENS...

QU'EN DIS-TU, TOI, CORBEAU DES MERS ?

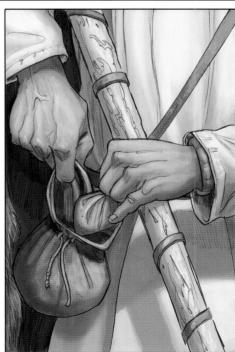

JE SAIS QUI A TUÉ CES PAUVRES MOINES !!!

J'ÉTAIS LÀ LE SOIR OÙ TUTGWAL A ÉTÉ ASSASSINÉ.

RACONTEZ-NOUS ÇA ?

OH IL N'Y A RIEN À DIRE DE SPÉCIAL ! ILS SONT VENUS, L'ONT SAISI ALORS QU'IL COURAIT SUR LA GRÈVE, PUIS LUI ONT TRANCHÉ LA TÊTE AVEC UNE GIGANTESQUE SERPE !

ILS ÉTAIENT PLUSIEURS ? COMBIEN ?

AU MOINS QUATRE ! ILS SOURIAIENT COMME DES DÉMONS !

POURRIEZ-VOUS LES RECONNAÎTRE SI VOUS LES RENCONTRIEZ DE NOUVEAU ?

LUI !!!

IL ÉTAIT PARMI EUX ! SALETÉ DE DRUIDE !

SORTEZ, FRÈRE ILTUD !

QU ?? MAIS FRÈRE BUDOG ?

J'AI DIT SORTEZ ! VOS DIVAGATIONS N'INTÉRESSENT PERSONNE. ET JE VOUS AVERTIS, NE VOUS AVISEZ PAS DE LES RÉITÉRER ! GWENC'HLAN ET TARAN NE PEUVENT EN AUCUN CAS AVOIR ÉTÉ PRÉSENTS LORS DU MEURTRE DE TUTGWAL, CECI EST PHYSIQUEMENT IMPOSSIBLE !

37

FRÈRE RONAN... VOUS ÊTES LÀ ?

JE...

... PRIE.

SOUHAITEZ VOUS QUE NOUS REPASSIONS PLUS TARD...

RESTEZ, FRÈRE BUDOG.

FRÈRE MAWDEZ, QUI VOUS ACCOMPAGNE ? JE N'AI JAMAIS ENTENDU DE TELS FROISSEMENTS DE ROBES VOUS N'ÊTES PAS ACCOMPAGNÉ PAR D'AUTRES MOINES, N'EST-CE PAS ?

DÉCIDÉMENT FRÈRE RONAN, RIEN N'ÉCHAPPE À VOTRE PERSPICACITÉ.

J'AIMERAIS VOUS DIRE QUE NON.

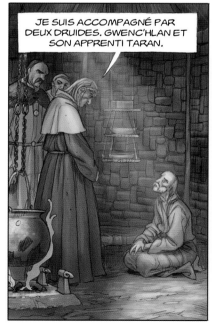

JE SUIS ACCOMPAGNÉ PAR DEUX DRUIDES. GWENC'HLAN ET SON APPRENTI TARAN.

DES SURVIVANTS... BIENTÔT VOTRE LIGNÉE DISPARAÎTRA, VOUS SAVEZ ?

VOS SEMBLABLES EN ONT EFFECTIVEMENT DÉCIDÉ AINSI.

ÊTES-VOUS CEUX DONT TOUT LE MONDE PARLE ICI ? GWENC'HLAN, L'AMI DE FRÈRE BUDOG. ON DIT QUE VOUS AVEZ ÉTÉ REQUIS PAR GWÉNOLÉ LUI-MÊME. QUELLE IMPRESSION CELA VOUS FAIT-IL D'AVOIR ÉTÉ APPELÉ PAR CELUI QUI DÉSIRE VOTRE PERTE ?

C'EST UN JEU ÉTRANGE, IL EST VRAI. MAIS JE FERAI TOUT POUR INNOCENTER LES DRUIDES DES MEURTRES DONT ON LES ACCUSE.

JE NE VOUS EN DEMANDE PAS TANT. PEUT-ÊTRE POURRIEZ-VOUS NOUS APPRENDRE CE QUE VOUS SAVEZ À PROPOS DE FRÈRE TUTGWAL ...

IL NE VENAIT PAS SOUVENT ME VOIR...

JE NE PEUX PAS VOUS DIRE QUI A TUÉ CES PAUVRES MOINES.

PAS SOUVENT, JUSQU'À CE JOUR, IL Y A ENVIRON UN MOIS...

SA VOIX ÉTAIT SI... DIFFÉRENTE CETTE FOIS-LÀ. IL M'A SEMBLÉ HEUREUX.

MAIS J'AI BIEN COMPRIS QUE L'OBJET DE SA JOIE PROVENAIT D'UNE SEULE ET MÊME CHOSE.

HEUREUX ET MYSTÉRIEUX, CAR IL NE M'A PAS PARLÉ CLAIREMENT. IL RESTAIT PLUS OU MOINS ÉNIGMATIQUE.

LAQUELLE ?

UN MANUSCRIT...

UN MANUSCRIT QU'IL ÉTAIT EN TRAIN D'ÉCRIRE.

QUI LUI A COMMANDÉ CE MANUSCRIT, LE SAVEZ-VOUS ? VOUS L'A-T-IL RÉVÉLÉ ?

IL A SIMPLEMENT DIT QUE C'ÉTAIT À VOTRE DEMANDE, BUDOG.

UN MANUSCRIT ? JE N'AI JAMAIS CONFIÉ À FRÈRE TUTGWAL LE MOINDRE TRAVAIL D'ÉCRITURE.

QUEL EN ÉTAIT LE SUJET ?

IL NE ME L'A PAS RÉVÉLÉ.

PAS VRAIMENT...

MAIS J'AI COMPRIS EN L'ÉCOUTANT PARLER DE TOUT ET DE RIEN QUE LE SUJET ÉTAIT EN RAPPORT AVEC VOUS.

NOUS !?

OUI, VOUS...

... LES DRUIDES !!

VOICI LA CELLULE DE FRÈRE TUTGWAL. PERSONNE N'A ENCORE DORMI ICI DEPUIS SON DÉCÈS.

BIEN.

MAIS TU NE TROUVERAS RIEN ICI.

SAIT-ON JAMAIS ? CET HOMME EST MORT POUR UN SECRET QU'IL VOUS A CACHÉ À TOUS.

JE PENSE DONC QUE DERRIÈRE L'AUSTÉRITÉ MONACALE DE CETTE CELLULE RESTE QUELQUE POSSIBILITÉ DE DISSIMULER UN SECRET.

?

NE L'AVAIS-JE PAS PRÉDIT ?

TU M'IMPRESSIONNES GWENC'HLAN.

QU'EST-CE QUE C'EST ?

UNE LÉGENDE...

UNE HISTOIRE, UNE VIEILLE HISTOIRE. CELLE D'UN PICTE DÉNOMMÉ TALWRC'H.

C'EST RÉDIGÉ EN OGHAMS. A PRIORI, NOTRE DÉFUNT MOINE CONNAISSAIT CETTE ÉCRITURE ET ÉTAIT CAPABLE DE LA DÉCODER COMME LE PROUVENT SES ANNOTATIONS MANUSCRITES.

C'EST BIEN L'ÉCRITURE DE FRÈRE TUTGWAL.

QUI ÉTAIT CE TALWRC'H ?

UN VERDRUIS, GRAND SAGE DU PAYS D'ALBA. UN PERSONNAGE LÉGENDAIRE COMME IL Y EN EUT PEU. FILS D'UNE FEMME DE L'AUTRE MONDE, TALWRC'H FIT PARTIE DES INITIÉS D'AVALON.

CROIS-MOI MON AMI, CETTE ÎLE QUE L'ON NOMME INYS AVALLACH OU ENCORE INYS WITRIN EXISTE BIEN.

AVALON ? AVALON EST UNE INEPTIE ! CE MONDE N'EXISTE PAS AILLEURS QUE DANS VOS CHIMÈRES.

MAIS IL EST VRAI QU'ELLE SE VOILE À NOS REGARDS. QUE LES BRUMES QUI L'ENTOURENT S'ÉPAISSISSENT DE JOUR EN JOUR.

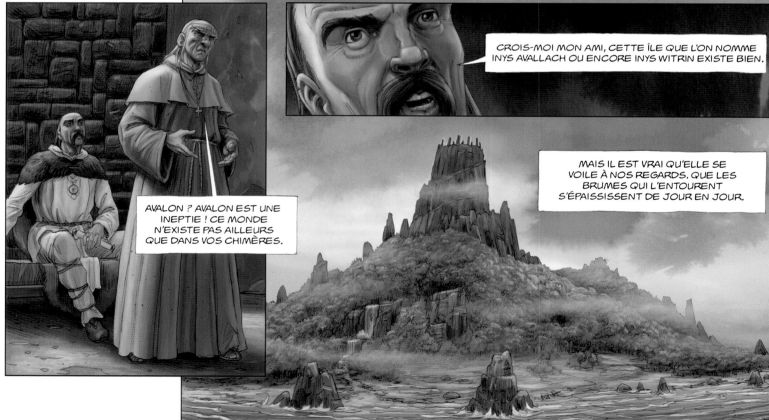

UNE GUERRE LES CONFRONTA, UNE GUERRE DES PLUS SANGLANTES DONT LES TÉMOINS, DE VIEUX CHÊNES, PARLENT ENCORE, SE SOUVENANT DU CHOC MAT DES ÉPÉES SUR LES CHAIRS OUVERTES.

LES PICTES AVAIENT LE DESSUS, MAIS ROME, LA PERFIDE, AVAIT UN ATOUT QUE TALWRC'H IGNORAIT.

GWYON, SON PROPRE FILS AVAIT REJOINT LE PARTI CHRÉTIEN, SÉDUIT PAR LES RICHESSES QU'ON LUI PROMETTAIT, PAR L'ANOBLISSEMENT QU'IL CONVOITAIT.

CE FUT GWYON QUI TRANCHA LA TÊTE DE TALWRC'H ALORS QUE CE DERNIER LUI TOURNAIT LE DOS. LE LÂCHE NE VOULAIT PAS AFFRONTER LE REGARD DE SON PÈRE.

LA HAINE ET L'AVIDITÉ RONGEAIENT SON CŒUR.

MAIS LES ÉVÉNEMENTS QUI SUIVIRENT, PERSONNE N'AURAIT PU LES PRÉVOIR.

TALWRC'H, OU PLUTÔT SA TÊTE, CONTINUA À PARLER. ET GWYON CRUT DEVENIR FOU LORSQU'IL VIT LES YEUX DE SON PÈRE LE FIXER ET LUI ORDONNER DE LE MENER AU PLUS PROFOND DE LA FORÊT CALÉDONIENNE.

GWEN.

OUI.

TU NE VAS PAS SUPPOSER QUE NOS FRÈRES SE FONT TUER POUR AVOIR TRADUIT DES TEXTES LIÉS À CE TALWRC'H ?...

JE NE SUPPOSE RIEN, MON CHER BUDOG. JE NE RÉFLÉCHIS QUE PAR DÉDUCTION. SI FRÈRE TUTGWAL A CACHÉ CE TEXTE, C'EST QU'IL AVAIT PROBABLEMENT UNE CERTAINE IMPORTANCE.

LES DRUIDES AURAIENT DÉCIDÉ DE LE TUER PARCE QU'IL TRADUISAIT DES TEXTES SACRÉS ?

CONCLUSIONS FORT RAPIDES ! PEUT-ÊTRE TROP ! TU PENSES COMME GWÉNOLÉ.

VIENS, JE VAIS TE MONTRER QUELQUE CHOSE. PEUT-ÊTRE POURRAS-TU M'AIDER.

TU ES SÛR QUE TU SAIS OÙ ON VA ?

OH OUI.

BRAN, MÈRE NE VA PAS ÊTRE CONTENTE DE SAVOIR QUE NOUS NOUS SOMMES TROP ÉLOIGNÉS.

MÈRE N'EN SAURA RIEN. D'AILLEURS, JE SUIS VENU ICI PLUS D'UNE FOIS...

OUI, MAIS ELLE N'AIME PAS QU'ON S'AVENTURE DANS LA FORÊT.

TANGI, FORÊT OU OCÉAN, SI LA MORT DOIT VENIR, ELLE VIENDRA. C'EST TOUT.

ET PUIS BRIEG EST GRAND ET COSTAUD, IL SAURA NOUS PROTÉGER, PAS VRAI BRIEG ?

SÛR ! REGARDE ÇA ! C'EST UNE DES LAMES DE MON PÈRE.

WAAA...

ATTENTION, ON APPROCHE DU SANCTUAIRE...

MON DIEU !

QU'EST-CE QUE C'EST ?

ÇA RESSEMBLE À UN SACRIFICE !

CHUUUT ! NE PARLE PAS TROP FORT.

UN SACRIFICE DE DRUIDES...

... COURS CHERCHER PÈRE.

VITE !